シオリーヌ
（大貫詩織）

イラスト ゆままま

〈超初級〉

性教育

サポートBOOK

やらねばならぬと思いつつ

HAGAZUSSA BOOKS

はじめに

みなさんこんにちは！　助産師のシオリーヌです。

このたび、初めて大人の方向けの性教育本を出版することとなりました。手にとってくださって、ありがとうございます。

近頃、〝性教育ブーム〟といっても過言ではないという時代の流れを感じています。さまざまなテレビ番組やおしゃれなファッション誌でも性教育についての特集が組まれ、ここ1、2年の間に性教育に関する書籍も多数出版されました。

そのなかで、家庭での性教育の必要性／重要性について語られる機会も増えたように思います。

「子どもが幼いうちから性の話をきちんと伝えましょう」

「意識しすぎず事実を言葉にして伝えていきましょう」

そういったメッセージを耳にすることがとても増えましたし、私自身もそうした言葉を口にしてきました。これらが大切な心がけであると感じていることは事実です。

しかし頭の片隅で、こうしたメッセージをプレッシャーに感じている人も多いのではないか……とも感じていました。性教育は確かに大事だ。正しい知識を持って、自分や大切な人を守って生きていける子に育ってほしい。でも、それでも、どうしても、自分で伝えるのは難しいと思ってしまう——。性にまつわる言葉を口にすること、子どもたちの前で話すこと、それを想像しただけで「絶対無理だ……」と頭を抱えたくなる。そういう大人だって、きっと世の中には山ほどいるはず。そんな〝**わかっちゃいるけどできそうにない**〟大人に寄り添う性教育本を作りたいと思ったのが、この本の出版のきっかけでした。

以前、私の講演を聞きに来てくださった親御さんから、こんなご相談をいただきました。

「子どもにセックスの話をしたとして、もし〝お母さんとお父さんはどんなふうにしてるの？〟なんて具体的な質問をされたら、耐えられません。どんな顔をして話したらいいのか……」

その方は性教育をきっかけに、自分のプライベートな性の部分を子どもに知られることになるのではないかと、不安に思っていたようです。

多くの大人たちが抱える**性の話への抵抗感**。それでも**性教育をしなければならないのではないか、というプレッシャー**。そういった気持ちに一緒に向き合い、その重さをみんなで分け合っていけたらという思いで、これからお話をしていきます。

＊　＊　＊

この本は「1歩め」と「2歩め」の2部構成でお届けしていきます。

「1歩め」では、子どもと性の話をするときに心がけられるといいかなという、10カ条をお伝えします。

子どもからの切り込んだ質問にスマートに答えられなくても、医学的な知識をスラスラと披露できなくても、**最低限この心がけだけでもできたら花丸です！**　というポイントをまとめました。

「2歩め」では、私のYouTubeを観てくださっていたり、SNSをフォローしてくださっているみなさんから募集した、「お子さんにされて困った性の質問／シチュエーション集」から特に回答の多かったものを選出し、**「私だったらこう答えるかな？」**という案をご紹介します。

いざというときの〝お助けワード〟として、みなさんの引き出しにしまっていただくもヨシ、私の回答を見ながら「自分ならこう言うな〜」と脳内ディスカッションをしていただくもヨシ。そもそもこうした話題を人としゃべることも少ない世の中ですので、ここでの回答をきっかけに、みなさん自身の価値観と向き合う時間を持っていただけたらうれしいです。

＊　＊　＊

本書では、「家庭でのやりとり」を想定してお話ししている部分が多いので、親御さん向けの書籍と捉える方も多いと思います。

ですが私自身は、子育ては社会のみんなで行うもので、**性教育についても子どもと関わる可能性のある大人（つまり全員）一人ひとりが触れて、考えて、実践するものであってほしい**と願っています。

子どもたちを支えるすべての大人が、性に対してほんの少し気軽に、オープンに向き合えるように。この本がその一助となれたなら、こんなにうれしいことはありません。

1歩め これだけできたら 10の心構え

目次
Contents

性の“あるある”質問　対応アイデア30

2歩め

子どものギモンをどう受け止める!?

1歩め

これだけできたら10の心構え

これだけできたら10の心構え

1 ウソをつかない

赤ちゃんてどうやってできるの？
コウノトリが運んできてくれるんだよ。

「どうしよう！」と焦ったら、一旦深呼吸。一度ついたウソは撤回するのが大変です。

子どもたちに性についての質問をされたとき、ドキィイィッ！　と心臓が縮むような気持ちになるかもしれません。そんなときにまず気をつけていただきたいと思うのが、**「ウソをつかないこと」**です。私にメッセージをくれた親御さんのなかには、「赤ちゃんってどうやって

あんたのときは
お礼にサカナを
あげたわね。
まいどあり〜！
おいしそうに
食べてたわ…
へーっ!!

GPS
あの家か…
えーっと
GPS機能が
搭載されてんのよ。
なんで
ボクの家が
わかったんだろ？

できるの？」と聞かれたときに「コウノトリに運ばれてきた」と伝えてしまって、その後どうやって本当のことを伝えたらいいのかわからなくなってしまった……と困っている方も。「キャベツ畑で生まれた」「橋の下で拾ってきた」などさまざまなバリエーションがあるようですが、**どうせ撤回するなら初めからウソはつかないほうがいい**かも。

聞かれてすぐにしっかりとした返答ができなくて、もちろんＯＫ。そんなときは**「今は上手に答えられないから調べてまた教えるね」**と一旦保留にして、マネできそうな伝え方をネットや本で探してみると良いと思います。自分で伝えるのはどうしても難しい……というときには、その内容を扱っている動画を一緒に観たり、絵本を買ってプレゼントするというのもアリ。

性の話はすべて親が伝えなくてはならないというものでもありません。今は性教育に関するコンテンツがたくさんあるので、上手に頼っていきましょう。

これだけできたら10の心構え

2

子どもの気持ちをそのまま受け取る

ママー、赤ちゃんてどこから来たの？
？
コラッ!! やめなさい そんな ハズカシイ 話…!!
ピョン

人生の最初の最初から、性の話は「恥ずかしい」ものでしたか？

私は物心ついたときから「性」についてす〜〜〜っごく興味のある子どもでした。「人から人が生まれてくるってどういうこと??」「赤ちゃんって一体どこからやってくるの???」。そんな疑問が頭の中にいっぱいで、それは**単なる知的好奇心**だったように思います。

子どもたちが性に関する質問をくれるときも、その背景にある思いはただ**「知りたい」という欲求**であることが多い気がします。大人がつい「恥ずかしい」「はしたない」と判断したくなる言葉や情報であっても、子どもたちにとってはただ、知らないから知りたいのです。

だからこそ、その**「知りたい気持ちをそのまま受け取る」**という姿勢が大切。私たちは性をタブーとして扱うメッセージに山ほど触れてきたので、「恥ずかしいこと言わないで」「汚い言葉を使わないで」と否定の言葉が反射的に出そうになる気持ちはよーーーくわかります。でも、それをなんとか一旦飲み込んで、「それが気になったんだね」とそのまま受け取る。発せられた言葉を「良い」とも「悪い」とも**ジャッジせずに「受け取る」**という姿勢は、性についての話に限らず、子どもたちから投げかけられるさまざまな相談や質問を受け取る際に役立つスキルになるはず。

3 代わりに決めない

このジャングルを
抜けなければ…
出口はどこだ…?!
ガサ
ゴソ
ガルルル…

人生の主導権を握っているのは、子ども本人。大人は子どもたちのサポーターです。

大人は人生経験が豊富なぶん、「より失敗をしなそうな方法」を見つけるのが得意です。だからこそ、子どもたちが何かを選択するとき、**「それよりこっちのほうがいい」「もっとこうしたらいいのに」**と、子どもの苦労を減らしてあげたい思いから助言をしたくなる場面って、

もうすぐ
ジャングルを
抜けますからねェ〜！
ガイド
なんか、
ぜんっぜん
おもしろくない
んだけど。

ハ〜イ！
みなさ〜ん！
近道は
コチラですよー！
ガイド

よくありませんか？（私はあります）　ただ、そんなときにみなさんに思い出してほしいのは、**「その子の身体や人生はその子のものである」**ということです。

自分の身体をどんなふうに扱うのか、自分の人生をどんなふうに作り上げていくのか。それを決める権利は、本人にしかありません。**その境界線を越えることは誰にもできないのです。**たとえ家族のような、親しい関係性であっても、です。だからこそ子どもたち自身が納得いく選択をできるように、必要な情報をもれなく伝えていくということが大人にできるサポートなのかな、と思っています。それから本人が決められるまで、とことん一緒に悩むということも。

それでも、もしどうしてもあなたが「この選択を認めることはできない」と感じることを子ども本人が望むときには、なぜその選択がダメだと思うのかをきちんと伝え、**お互いが納得できるまで対話すること**を大切にしてもらえたらいいなと思います。

これだけできたら◎10の心構え

4 〝常識〟を押しつけない

パンツは
かぶらないで
はくものだよ。
それは
パパの
ジョーシキでしょ！

「あなたの常識、私の非常識」みたいな言葉ってよく聞きますが、ほんとそれですよね。

たとえば子どもが自分のプライベートゾーンに頻繁に触れる、いわゆる「性器いじり」が見られるようなとき、「どうにかして止めさせなければ」と感じる方は多いようです。なぜなら**「性器を触るのは恥ずかしいことだ」**という常識が、多くの人の中にあるから。

ぼくの ジョーシキは こうなの!!
ほう…
でしょ。
フムフム… これはこれで なかなかイイな。
ふたりで 何やってんの？

でも改めて考えてみると、「性器いじり」が問題になるのは、プライベートゾーンを人前で見せてしまってプライバシーが守られない場合や、不潔な手で触って感染症を引き起こすリスクがある場合など、明らかに子どもたちにとって良くない結果がもたらされるような場合です。**そうした問題がないのであれば、「性器を触る」ということ自体は大きな問題ではありません。**だって自分の身体に自分で触れちゃダメなんてこと、ないですもんね。そう考えると、必要なのは「性器いじりをどうにか止めさせること」ではなく、「子どものプライバシーや安全を守ること」なのかも、と思えてきたり……。

大人のなかには長い年月をかけて培われてきた「自分の常識」がたくさんあります。それが役立つこともありますが、そうした常識が物事の本質を見えにくくしてしまうということも多々あります。**自分の常識という枠組みだけで物事を捉えていないか、**見つめ直してみると良いかもしれません。

これだけできたら10の心構え

5 性の話を捉え直す

ちゃんと勉強してるのか?!
子供は勉強が大切だぞ!
してるよ
ざっし
べんきょう

すごく当たり前のことを言います。
あの……教わっていないことって
教えられなくない?

今の子どもたちもそうですが、私たち大人も十分な性教育を受けた経験がほとんどありません。性の話を耳にする機会といえば、友だちからふられる下ネタや成人向けっぽいコンテンツ。そうした情報に触れるなかで**「性の話は恥ずかしくていやらしいものだ」**という価値観が

育つことは、なんにも不思議なことじゃない。とても自然なことだと思います。

実はこんな発信をしている私の中にもそうした感覚がなかったわけではないのですが、それが払拭されたきっかけは、看護学校の授業で**「真面目な性の話」**にたくさん触れたことでした。下ネタ的な文脈ではなく、人の健康や安全のために必要な性の話をたくさん聞いて学ぶこと。その積み重ねが**「性の知識は人生に欠かせないことなんだ。ってか普通にめちゃくちゃ大事な話じゃない？」**という新たな価値観を生み、性の話をするときにうっすらと感じていた恥ずかしさを払拭してくれたように思います。

この本を読んでくれる方のなかにも、性の話をすることに強い抵抗感を感じる方がいらっしゃるかもしれません。そんなときは、まず大人自身が性についての本や動画に触れてみて、**性の話を捉え直す**機会を作ってみることをオススメしたいなと思っています。

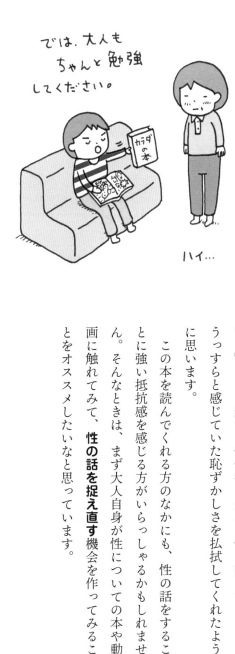

これだけできたら10の心構え

6 性別で判断しない

お手をするネコ
ドレスが大好きな男の子
鉄道
電車にくわしい女の子
虫に夢中な女の子

悪気はないんです。それでも自然にじわじわにじみ出るのが「ジェンダー感覚」。

たとえば息子さんに「**メイクのおもちゃがほしい!**」と求められたとき、みなさんはなんの戸惑いもなく「いいよ」と言えますでしょうか?

気持ちを尊重したいとは思いつつも、「男の子なのにメイクってどうなんだろう……?」「友だちにからかわ

"その人らしさ"が、一番ステキ!!
野菜が大好きなワニ
あみものが得意な男の子
家事が好きな男性
ぬいぐるみを愛する男性
KUMA
LEADER
力強い女性
女性経営者

れたりしない??」など、心配な気持ちが浮かぶ方も多いと思います。こうした**「男らしさ」「女らしさ」**みたいな感覚は、私たちが想像する以上に深いところまで染みついています。「男性はしっかり稼いで家族を養うべきだ」「女性なのに家事をしないなんておかしい」というように、大人自身も性別によってジャッジされる経験をたくさんしてきているはず。社会の中でつくられた性別による差のことを「ジェンダー」といいますが、**ジェンダーの押しつけはその人らしい特別な魅力を奪うことにもつながります。**

ジェンダーの感覚は無意識レベルに染みついているものでなかなか自覚するのが難しいですが、それでも子どもと接するときには少し意識して「男らしいこと」「女らしいこと」という枠組みを一旦外してみてほしいなと思います。子どものすることを制限したい気持ちになるとき、**「これは男だから(女だから)いけないのか?」**と少し立ち止まって考えてみてくださいね。

はっぱの絵
描きたいから、
この絵の具ぜんぶ買って!!
ギョッ
のり
のり
のり
くれよん
くれ
え〜〜!?
はっぱはみどりなんだから、
みどりの絵の具だけで
いいでしょ!?

これだけできたら10の心構え

7 多様な性があることを知る

知らないこと、わからないことを恐れるのが人間です。まずは知ることから始めませんか?

「**性の多様性**」という言葉をよく耳にするようになってきました。子どもたちと接する大人がこれをよく知り、大切にできる人であることは、子どもたちにとって大きな安心につながります。といっても、特別難しいことはなく、たったひとつ覚えておいてほしいのは、**自分らし**

い性のあり方というのは一人ひとり違って、そこに優劣はないのだということ。どんな性で生きる人も、同じように大切にされる権利があるのです。

以前「自分の子どもがＬＧＢＴＱ＋だったらどうしよう……」という不安の声を耳にしました。たしかに今の日本では、セクシュアル・マイノリティの方が傷つく経験をしてしまう場面が多くあります。でもそれはセクシュアル・マイノリティであることに問題があるのではなく、**多様な性への理解が広まらず当事者を守れない社会に問題がある**のです。

一人ひとりの大人が性の多様性について理解を深めることが、どんな性を生きる子どもたちも安心して暮らせる社会につながっていくということを覚えていてほしいです。

語彙解説：**LGBTQ+**

レズビアン、ゲイ、バイセクシュアル、トランスジェンダー、クィアなどを含む多様な性のあり方を包括してあらわす言葉。

これだけできたら10の心構え

8

親子は対等であると忘れない

私、こっちの道がいいと思う。
いや、こっちだよ!パパの言うことが正しいんだ。

大人だからってなんでも知っているわけじゃないし、完璧であろうと意気込む必要もない。

親と子、先生と生徒といった大人と子どもとの人間関係では**「上下関係」**が生まれやすくなると感じます。人生経験の豊かさに大きな違いがあるから「大人が子どもに教えてあげる」という構図が生まれやすいのかもしれません。だからこそ、子どもと接するときには**「人と人**

人生の経験値が
高いほうに
したがうべきなんだよ。
フフン
でも…

うわあ
ズボ
私、そこに
落とし穴掘った
経験があるの。

は対等である」という人間関係の基本を、意識的に思い出していくことがとても大切だと感じています。

私自身、精神科の児童思春期病棟で勤務していたときには、子どもたちから本当に多くのことを教えてもらいました。私は自分の人生で経験できたことしか知りませんが、子どもたちとの対話を通じていろんな立場、いろんな境遇でのものの見方を学ぶことができました。

子どもたちは経験が少なかったり、知っている言葉が少なかったりして、大人からすると未熟に見える部分も多いかもしれません。でも**その意見や行動の背景には、その人なりの思いや事情がある**ということを忘れないようにしたいものです。

大人だって完璧ではないし、それはカッコ悪いことでもない。何か困難に直面したときにも、「教えてあげる」のではなく**「一緒に考える」**という姿勢でいてもいいと、大人が肩の力を抜くことも必要なのかもしれませんね。

これだけできたら10の心構え

9 親だけで抱えない

子育ては、社会の大人みーーーーーんなの仕事。できることで助け合っていきませんか。

日本の子育ては親御さんだけに責任を押しつけすぎなのではないか……と感じることがよくあります。電車で子どもが騒いでしまったら「親のしつけが悪い」と責められ、子どもが不登校になったら「親の愛情不足じゃないか」と責められ。子育てに関するどんな問題も、すべ

てが親御さんに責任があるとするような雰囲気を感じると、この国で子育てをする方々はどれだけのプレッシャーの中で過ごしているのだろうかと、胸が痛みます。

私は、**子育ては社会のみんなで行うべき**だと思っています。電車で騒いでしまったら周囲のみんなで見守ったらいいし、不登校になったら教員や地域の保健師、病院のカウンセラーなどの専門家たちと一緒に、より良い方法を探ったらいい。

性教育についても、私は親御さんや養育者だけですべてを伝えきらないといけないとは思いません。性の知識を学べる動画を使ったり、絵本を使ったり、幼稚園や学校に外部講師を呼んで話をしてもらったり。子どもたちの周囲にいるいろんな人やいろんなツールの力を活用しながら、**最終的に子どもたちが健康に暮らすために必要な情報がしっかり届けばそれで十分。**親御さんだけで抱え込まずに、不安なことは相談したり、できない部分は力を借りたり、上手に頼っていただけるといいなと思っています。

これだけできたら10の心構え

10 子どもを信用する

性教育でもっとも大切なのは「上手な子離れ」なのかもしれない。

参考書
買うから
お金ちょーだい。
じ〜〜〜
本当に
参考書…？

「性の情報をあまりに早く伝えすぎると興味本位で危険なことをしてしまうのではないか」という声は、性教育への反対意見としてよく聞かれます。しかし実際のところ、**早くからきちんと情報を知っている子どもたちは自分の行動に慎重になる**、というのが具体的な性教育をす

る国でもたらされている結果です。

私のYouTubeの視聴者さんからも、「生理の話はタブーだったから初めて生理がきて困っても親に言い出せなかった」「アフターピルが必要だけど、親に言い出せない」という声が多く届きます。子どもたちにサポートが必要になったとき、すぐに相談してもらえる関係性を築いておくためにも、**性的な話題をタブーにしない雰囲気**をつくっておくことはとても重要だと感じます。

子どもたちは大人が考えるよりもずっと、いろんなことを知っているし、気づいているし、考えています。だからこそ情報にフタをして、子どもたちに**「純粋でいてほしい……」**と願いを押しつけるのではなく、きちんと情報を渡した上で、判断をゆだねることが大人にできることなのではないでしょうか。**子どもたちにはそれを受け取る力がある。自分の意思で選びとっていく力があります。**子どもたちを信用して、今できることから少しずつ始めてみませんか。

セックスもジェンダーも。
体と心のギモンにどう対応する？

2歩め 性の“あるある”質問対応アイデア30

子どもたち、もしくは大人に対して
伝えてみてほしい言葉をまとめました。

1

生理って何？　血が出るの？

対応アイデア

赤ちゃんができるための準備で、月に1回血が出るんだよ。

血が出ている間はお腹が痛くなったり、怒りっぽくなっちゃうこともあるんだ。

イッケネ☆
トイレ流し
忘れた！
スマン
スマン。
赤い…!!

119番ですか?!
ママから血が出てて…
救急車を…!!
わ〜〜っ!!
コレ、生理生理!!

生理について子どもが疑問を投げかけてきたときは、**ごまかすよりも本当のことを伝えてしまうのがオススメ**です。子宮と卵巣がある人の多くにはそういうことが起きるんだという事実を知るだけでなく、**生理がある人に対してどんなケアができるか**を学ぶ機会にもなります。

「生理用品は子どもに見つからないほうがいいですか？」とご質問をいただくこともありますが、ケガをしたときに使う絆創膏や毎日使うトイレットペーパーと変わらない衛生用品なので、**無理に隠す必要はない**と思います。

日常生活の中に当たり前にあるものとして、伝えてＯＫ。

+α 聞かれそうなこと

病気なの？

病気じゃないし、ケガでもないよ。身体が健康だから生理がくるんだよ。

僕もなるの？

身体に子宮や卵巣がある人の多くが、生理になるよ。

ひとことアドバイス

「血が出る」という説明を聞いたとき、不安に思ったり怖い気持ちになる子どもも少なくありません。生理は日常的に起こるものであり、健康なサインにもなりうるのだとしっかり伝えることが、子どもの安心感につながると思います。

2

どうしてちんちん大きくなるの？

対応アイデア

ちんちんに血が集まると、
大きくなったり
かたくなったり
することがあるよ。

ボカーン!
カ〜ッ!!
ニョキ
うわ〜!
ちんちんが
大きくなりすぎて、
家の屋根を突きやぶったら
ど〜しよ〜…!!

勃起は赤ちゃんの頃から自然な現象として起こります。おしっこがしたくなったときや物理的な刺激があったときなどに、ペニスに血液が集まることで起こるのです。**性的な刺激をきっかけに勃起するようになるのは思春期になってから。**その頃には精巣で精子がつくられるようになり、生殖に必要な能力が育ってきます。

小さな子どものペニスが勃起しているのに気づくとびっくりして戸惑う方も多いでしょう。でも、**何もおかしなことではありませんので安心してください。**子どもが疑問に思って尋ねてきたら、「身体のしくみ」として説明してあげると◎。

+α 聞かれそうなこと

大きくなってる！見て！

プライベートゾーンは自分だけの場所だから、大事にしまっておいてね。

お父さんもなるの？

ちんちんを持っている人だったら、みんななることがあるよ。

ひとことアドバイス

勃起という現象に性的なイメージを強く感じている方ほど、それが我が子に起こったときに戸惑ったり、時には不快な気持ちになったりするかもしれません。でもお子さん自身は性的な感情なんてまったく抱いていないことも。身体的な出来事と感情とは、少し切り離して考えてもよいのかもしれません。

3

どうして私はちんちんがないの？

対応アイデア

ちんちんはないけど、バルバがあるよ。

男性器と女性器の違いは、子どもたちにとって大きな不思議に感じられることがあるようです。

「バルバ」というのは、日本ではあまり馴染みのない言葉ですが、英語で**大陰唇や小陰唇、クリトリス、膣口、尿道口などを含む女性の外性器全体を指す言葉**です。日本語には対応する言葉がないといわれることもあり、本書ではこの言葉を選びました。「男性にはペニスがあって、女性にはない」と説明するよりも**「男性にはペニスがあって、女性にはバルバがある」**という伝え方をすると、お互い違った身体の構造や機能をもっているんだということが理解しやすいのではないでしょうか。

＋α 聞かれそうなこと

いつかちんちん生えてくる？

ちんちんがあとから生えてくることはないよ。

ひとことアドバイス

男性器の名前は普通に口にするのに、女性器の名前はなんとなく言ってはいけない空気がある……というのは、日本の不思議な文化のひとつですね。もちろん、おうちなどでは「おまた」など言いやすい表現で伝えていただいてOKだと考えますが、どこかのタイミングで正式な呼び名を伝えられる機会があるといいなと思います。

性の〝あるある〟質問
対応アイデア30

4

お父さん、毛がモジャモジャでへん！

対応アイデア

人の身体を〝へん〟って言うのはやめようね。

男の人はホルモンの影響で、毛がたくさん生える人が多いんだよ。

ハッハッハ!!
そうだろ〜〜!
パパって
毛がモジャモジャ
だねぇ…
だから、ホラ!
せっけんが
泡立てやすいんだぜ…!
いいだろ?
モコモコ
モコ
うわぁ〜!
べんり〜〜っ!!
いいなー

人の身体的な特徴をからかうことは絶対にNG。このことは子どもたちが幼い頃からきちんと伝えておくことが大切だと考えます。自分が「普通」でそうでない人は「へん」という考え方は、社会に出たときに自分や他者を大きく傷つける可能性のあるものです。

一方で、**誰かの身体と自分の身体を比べて、違いを見つけて「なぜ?」と感じるのは自然なこと。**そうした疑問には素直に向き合って答えることをオススメします。

男性はホルモンの影響でヒゲや脇の毛、腕やすねの毛が濃く生えることがあると、ありのままに伝えてみましょう。

+α 聞かれそうなこと

お母さんはなんでツルツルなの？

女の人は毛が少ない人が多いし、（脱毛しているなら）お母さんは毛をなくしてくれるお店に通ったんだよ。

ひとことアドバイス

体毛に関する話でいえば、脱毛や除毛は本人がしたくないならしなくても良いということも、どこかのタイミングで伝えられるといいなと思います。自分が望んで選択するのは自由ですが、毛の処理をしなければその人の価値が下がるとか魅力が失われるというようなメッセージに子どもたちが傷つけられることのない世の中にしたいものです。

5

場面

「うんこ」「おしり」で大爆笑。

性の〝あるある〟質問
対応アイデア30

対応アイデア

そういう言葉って
おもしろいよね。
ただその言葉が苦手で
聞きたくない人もいるから、
みんなの前ではやめようね。

フッ ベイビーたち…
あんまり俺の名を叫ばないでおくれ。
特に…外では、なっ☆

いわゆる**「下ネタ」**的な言葉が好きな子どもって、とても多いですよね。そうした言葉自体が大好きな子もいるし、それを聞いたときの大人の反応が好きな子もいるように思います。

下ネタブームは一生続くものではないので、**絶対にやめさせなくては！　と責任を感じる必要はありません。**楽しさは受け入れた上で、公共の場で話すにはふさわしくない話題であるということを伝えていけたら良いのではないでしょうか。

おうちの中や、気の合う友だちとだけ楽しんでいる分には無理にやめさせようと頑張りすぎなくてもいいんじゃないかな、と個人的には考えています。

＋α 聞かれそうなこと

ねぇねぇお母さん、うんこー！

お母さんは、人間です。そういう言葉をいきなり言われると嫌な気持ちになるよ。

ひとことアドバイス

下ネタ言葉を子どもから投げかけられたとき、不快に感じる方もいると思います。そのときには、子どもたちに素直に気持ちを伝えることも大切。一度話して伝わらなくても、くり返しくり返し伝えていくことで「本当に大切なことなんだ」と気づいてくれることもあるはずです。

6

性の"あるある"質問対応アイデア30

赤ちゃんってどうやってできるの？

対応アイデア

お母さんがもつ赤ちゃんの卵と、お父さんのもつ赤ちゃんの素《もと》が合わさってできるよ。

お父さんのもつ赤ちゃんの素は、お母さんの膣を通って赤ちゃんの卵のところまで届くんだよ。

オギャー!
オギャ〜〜
うちのパパは、竹を切ったら赤ちゃんが出てきたって。
私はキャベツ畑で生まれたらしいわ。
と、いうことは人間は植物に分類されるのか…。
大発見だ…!!

赤ちゃんという存在が一体どこからやってくるのか? そのことに疑問を感じる子どもはとても多いですね。私自身も、小学生の頃に一生懸命調べた覚えがあります。

こうした質問があったときはごまかしたり、ウソをついたりせずに、**事実を普通に話すのがオススメ**です。卵子と精子が合わさると、赤ちゃんになる。精子は膣を通って卵子のもとに届けられる。赤ちゃんは子宮の中で育って大きくなる。その事実を、**身体のしくみ**として伝えてあげられると良いと思います。

受精にはセックスだけでなく、人工授精や体外受精という方法があることも、あわせて話しても良いでしょう。

+α 聞かれそうなこと

セックスって何？

膣にペニスを入れて、赤ちゃんの素を届けることだよ。カップルや夫婦がスキンシップのために触れ合うことを、そうやって呼ぶこともあるよ。

ひとことアドバイス

私たち自身も大人にこんなに普通に性の話をしてもらった経験が少ないので、いざ実践しようとしてもなかなか難しいですよね。どんなテンションで話したらいいかわからない……というときには、ぜひ私のYouTubeチャンネルで動画をご覧ください。めちゃくちゃ普通にセックスの話をしている大人の姿を確認することができます。

7

卵子って何？　精子って何？

性の"あるある"質問
対応アイデア30

対応アイデア

お母さんとお父さんがそれぞれもっている、赤ちゃんの卵と赤ちゃんの素《もと》のことだよ。

お母さんがもっている赤ちゃんの卵が卵子、お父さんがもっている赤ちゃんの素が精子。

赤ちゃんの材料…?!
えーと ママの中にある卵と
パパの中にある赤ちゃんの素を
まぜるんだよ。
ふーん。
ベシャ
パパー!
作る道具そろえたから、
赤ちゃんの素
ちょうだい!

こうした質問を受けると「ぎくっ」とされる方も多いかもしれませんが、**人の身体のしくみとして、普通に返答してOK。**卵巣には生まれたときから一生分の卵子の素があるということや、精巣では思春期以降に精子がつくられるようになるんだということも、一緒に伝えていけると良いと思います。

性に関するワードを自分の口で伝えるのに抵抗がある、というときには、**性についての知識を扱った動画や絵本などの力を借りることも良い方法です。**

すべてを自分で伝えなくては!と抱え込む必要はありませんよ。

＋α 聞かれそうなこと

私にも卵子あるの？

大人になったら卵子ができるように、卵子の素が準備されていると思うよ。

ぼくにも精子ある？

思春期くらいになると精巣でつくられるようになるよ。

ひとことアドバイス

少し具体的な性の質問を受けたときに、正直自分もわからないな……と感じることもあると思います。そんなときは一旦保留にするという選択肢もアリ。「なんて説明したらいいかわからないから調べてみる」もしくは「わからないから一緒に調べてみようか」などといったように、一緒に学ぶ姿勢を見せられたら十分です◎。

8

お母さんとお父さんもセックスしたの？　どうやって？

対応アイデア

そうだよ。でもプライベートなことは、大事なあなたにも内緒なんだ。

決して
のぞいては いけませんよ。
お母さんにも
プライベートは あるのです…
ススス…
え〜〜
つまんな〜い。

性教育について考えるときに**「知識としての性の話」**と**「プライベートな性の話」**を分けて考えることは、とても大切だと思います。

子どもに知っておいてほしい性の知識を伝えたいと思うときに、大人が自身の**プライベートな性の部分までオープンにしなくてはならないと思う必要はありません。**一般的な知識をきちんと教えることと、プライバシーを守ることは両立できるものです。

近しい間柄であっても境界線を持ち、**お互いのプライバシーを尊重し合った関係性を築いていくこと**は、子どもたちの安心感にもつながるのではないかと思います。

+α 聞かれそうなこと

セックスってどんなふうにするの？

性について教えてくれる絵本を、一緒に読んでみようか！

ひとことアドバイス

「子どもに自分のプライベートな性の部分を知られたくない」と感じるのは、何もいけないことではありません。近頃は性の話をオープンにしていこうという雰囲気も広がってきていますが、それはあくまでも必要な性の知識を当たり前に学び、語れるようにしようということ。自分がオープンにしたくないと感じる部分は、大切に守られるべきものです。

9

（セックスを見て）
……何してるの？

対応アイデア

驚かせてごめんね。
大切なスキンシップの
時間だったんだ。

ヒーッ!!
なんだか わからないことや、
初めて見たものって
誰だって驚いちゃうし、怖いよねェ…

セックスの場面を偶然見かけた子どもの反応として、不安になったり怖がったりすることがあるようです。普段よく知っているご両親の様子と違う部分があると、そう感じるのも自然なこと。

前提として、性的なスキンシップはプライベートな空間の中で行うことが大切ですが、もし意図せず子どもに見られてしまったときは、その**驚きや不安な思いに寄り添うこと**を第一にできると良いでしょう。また、それが怖いことではないこと、スキンシップのひとつであることを伝えた上で、**「今後はプライバシーを守れるよう配慮する」**とお話しできると良いのではないかと思います。

+α 聞かれそうなこと

なんでお洋服着てないの？

信頼しているパートナーとは、そうしたスキンシップをとることがあるんだよ。

なんか怖かった。

怖い思いをさせてごめんね。安心して大丈夫だよ。

ひとことアドバイス

子どもと大人が寝室を共有しているご家庭では特に、夫婦（カップル）のプライベートな空間を確保するって、なかなか難しいことですよね。私の知り合いの中には、時々お子さんを預けて、ふたりでゆっくりスキンシップをとれる時間をつくる工夫をされているご夫婦もいます。みなさんもそうした時間をつくるために、工夫されていることはありますか？

10

オナニーって何？

対応アイデア

自分で自分の身体に触れて、心地よい感覚になることだよ。

どこかで聞いたの？

お父さん、
私の
プリンがないんだけど
なんで？
いい質問だ。
お父さんは、
ごまかさないで
事実をそのまま
伝えるぞ。
それはな、
お父さんが
食べてしまった
からだ。
ちょっとは
ごまかしてよ。

子どもが、学校やメディアで聞いた性的なワードを**「〇〇って何？」**と尋ねてくる、というのはよく聞くあるあるシチュエーションです。〇〇に入る言葉も「セックス」や「オナニー」などさまざま。こうした場面で大切なのは、**質問したこと自体を否定しないこと**。

性についての質問を大人にしたとき、「そんなこと聞かないで。言わないで」と否定された経験のある子どもは、**その後困ったり不安に思ってもなかなか大人に相談できなくなってしまう**ケースがあるようです。質問をそのまま受け止めて、**事実を普通に伝える**、ということを心がけてみてください。

+α 聞かれそうなこと

お父さんもオナニーするの？

それはお父さんのプライベートなことだから、話したくないな。

ひとことアドバイス

性に関する質問をしたときの親の反応をよーーーく覚えている方って多いんだな、とこの仕事をするようになって知りました。「すごく気まずそうだった」「ウソをつかれた」「うちはそういうの全面ＮＧだと悟った」などの感想を聞くたび、そうした一つひとつの振る舞いが信頼関係に影響していくんだなぁと実感します。

11

ちんちん、触ってみたい！

対応アイデア

誰かのプライベートゾーンは、お世話に必要なときのような特別な場面でしか触らないよ。

たとえ家族や友だちでも、遊んだりふざけたりして触るところじゃないんだ。

居酒屋
ちんちん
今日も
ふざけて
触られたよ…
尻股胸
ドッ
まったく…
俺たち
プライベートゾーンを
なんだと思ってんだ?!

お互いの身体に対する**境界線の意識を育てていくこと**は、親しい関係であってもとても大切なことだと思います。もちろん育児や介護の場面では、おむつ交換をしたり入浴の手伝いをしたりするために、相手のプライベートゾーンに触れることもあります。そういったどうしても必要な場面を除いては、**「その人の身体はその人のもの。そのなかでもプライベートゾーンは特に個人的な場所である」**と認識しておくことが大切です。

周りの大人から身体を大切に扱ってもらう経験を重ねることは、**子どもたち自身が自分以外の人を大切にできる力を育むこと**にもつながると思います。

+α 聞かれそうなこと

友だちにふざけてちんちん触られたんだよ。

それはビックリしたね。必要だったら先生や友だちの親御さんにお話ししてみようか？

ひとことアドバイス

生まれた時からずーっと一緒にいて、スキンシップをとることも多かった我が子に対して、プライバシーを尊重する関わりを心がけるというのはなかなか難しいもの。それでも大人が意識をして子どもたちとの境界線を築いていくことは、いつか必ず彼ら／彼女らを守ることにつながります。身体にふれる前に、ひとこと「いい？」と尋ねることから始めてみて。

12

なんで赤ちゃんは
おっぱい触っていいのに僕（私）はダメなの？

対応アイデア

**赤ちゃんは大きくなるために
おっぱいから栄養をもらって
いるからだよ。**

私たちと同じようなご飯を食べられるように
なったら、おっぱいは卒業するんだよ。

MAMA
おっぱいは
赤ちゃんの 大切な
ゴハンなんだよ。

赤ちゃんのときにはどんなに触れても怒られなかったおっぱい。それがいつからか**「もう触ってはいけないよ」**と言われて、戸惑う気持ちになる子どもは少なくないようです。もちろん、理由を伝えずにいきなり「もうダメ」と言ってしまっては、理解が難しいでしょう。

前の項目でもお伝えしたように、授乳はお世話のためにプライベートゾーンに触れる必要のある、特別な場面です。赤ちゃんの成長のためにおっぱいが必要だけど、**必要な栄養を食事からとれるようになったら卒業するんだ**という理由を、きちんと伝えられると良いと思います。

+α 聞かれそうなこと

おっぱいに触って寝たい。

プライベートゾーンに触る代わりに、ぎゅーってして寝るのはどう？

ひとことアドバイス

「子どもにおっぱいを触られるのがすごく嫌なんです」というお母さんの悩みを耳にすることは、少なくありません。我が子にそんなふうに思う自分は冷たいのか……と悩む方もいますが、自分のプライベートな部分を同意なく触ってほしくないと思うことは、決しておかしな感情ではありません。そうしたお母さんの思いも、素直に子どもと話し合って良いものだと思います。

13

（性器いじりをしていたところを注意されて）なんで触っちゃダメなの？

対応アイデア

大切な場所だから、誰かのいるところで見せたり触ったりしないようにしようね。

ブラブラ
してるものって、
つい触っちゃうん
だよなァ。
お前なら
わかるだろ？

じー
ふだん
隠してるものって、
なーんか
気になっちゃうのよねェ…

性器いじりは幼児期によく見られる行動です。その背景にある理由は、**「触ると落ち着くから」「おもしろいから」「心地よいから」**など、さまざま。特別な理由がないこともあります。

もちろん子どもの身体はその子のものなので、自由に、好きなときに触れていいものです。性器いじりが問題になるのは、それを人前で行ってプライバシーを守れない場合や、不潔な手や物で触って感染のリスクがあるようなとき。プライベートゾーンはほかの人に「見せない、触らせない」ことを基本に、**触れたいときはひとりになれる場所で、きれいな手で触れるように**伝えてみてはいかがでしょうか。

+α 聞かれそうなこと

（性器は）汚い場所なの？

ほかの身体の場所と変わらない、大切な場所だよ。

ひとことアドバイス

子どもが性器に触れる姿を見て「汚い」と感じたり、不快に思ったりする方は多いようです。その背景には、その行為が性的欲求にもとづく行為だと感じることによる、「拒否感」があるのではないかと感じます。しかし多くの場合、性的な欲求によって性的な行動を起こすようになるのは思春期以降で、幼児のこうした行動に性的な意味合いはないと考えられています。そう考えるとあまり重たく捉えすぎなくても良いのかも？と思ったり。

14

場面

「カンチョーーー！」している子どもを発見。

対応アイデア

人のプライベートゾーンを傷つける遊びは、やめよう。

誰かの身体に触れるときは、相手のOKを確認する必要があるんだよ。

カンチョーをはじめ、スカートめくりやズボン下ろしなど、**人のプライベートゾーンに触れたり見たりしようとすることを遊びにする文化**があります。これだけは、された相手の心も身体も深く傷つける可能性のある行為なため、**きちんと「NO」を伝える必要があること**だと感じています。

もちろん自分が同じようなことをされたときにも、**「いやだ」「やめて」をしっかり伝えていいのだということ**も、子どもたちには知っておいてほしいことです。「スカートめくりはあなたを好きな証拠だよ」という大人の言葉に傷ついた経験のある人も、たくさんいます。

＋α 聞かれそうなこと

みんなそうやって遊んでるよ。

みんながしているから正しいっていうわけじゃないんだよ。

ひとことアドバイス

もちろん大人自身も、子どもたちのプライバシーを尊重する関わりを心がけることが大切。例えば子どもと一緒にお風呂に入ることを「子どもがいやっていうまではいいかな」と考えている親御さんもいますが、内心いやだったとしても、親にNOを伝えるのはなかなか勇気のいることです。拒否を示される前に、大人のほうから「そろそろお世話も必要なくなったし、ひとりで入ったほうがいいと思う」と、線引きをする必要があると感じます。

15

場面

（子どもの気持ちをムシして）「おばあちゃん（おじいちゃん）とチューしようね〜」と迫られた。

対応アイデア

（おばあちゃんやおじいちゃんに対して）

子どもが相手でも、ちゃんと同意を確認してくださいね。

チュ〜
ばあばと
チュ〜〜
しようね〜〜!
悪いけど
ファーストキスの相手は
自分で決める
予定なんで。
ゴロゴロゴロ

赤ちゃんは言葉で自分の意思を伝えることができません。だから抱きしめられるのも、キスをされるのも大人にされるがまま。その延長で、言葉でコミュニケーションがとれる年齢になっても、まだ**子どもたちに触れるのに同意は必要ない**と考えてしまうことがあります。

たとえ自分の子どもだとしても、**その人の身体はその人のもの。**相手に触れるには相手の同意を確認するのが人間関係の基本的なルールです。子どもは**いやだと感じていても、相手が知っている大人だと自分では断れない**ことがあります。そんなシーンを見かけたら、大人がしっかりと守れるようにしたいですね。

+α 聞かれそうなこと

（おばあちゃんやおじいちゃんから）ただの愛情表現じゃないか。

愛情があるのならなおさら、子どもの権利を大切にしてください。

ひとことアドバイス

私自身、自分が幼い頃に父親から「ほっぺにチューして」と頼まれることにとっても拒否感をもっていたことがあります。それでもしてあげれば親は喜ぶし、断れば傷つけるだろうと感じて、しばらくは渋々受け入れていました。子どもは大人が思う以上に、しっかり気を遣っている。だからこそ大人のほうが意識しすぎるくらい子どもの権利に敏感になる必要があるよなぁといつも思っています。

16

場面

検索履歴にアダルトワード……!?

対応アイデア

いろいろ興味も出てくると思うけど、まずは信頼できる情報から学んでほしいな。

アダルトコンテンツには年齢制限があるからルールは守ってね。

パパって
学生の頃、
柔道の大会で
優勝したって
ホント?!
優勝
そうだよ。
その証拠にホラ、
ここにトロフィーがあるでしょ。

あ、あと、
女の子に
すご〜〜くモテモテ
だったっていうのも
ホント?!
うーん それは
信頼できる情報とは
言えないわね…。

スマホやタブレットを子どもたちが持つのが当たり前になってきたため、**「知らないうちに性的な情報を検索していたようでビックリした！」**という親御さんも増えているようです。

興味を持つのは何も悪いことではないですが、心配なのは**信頼できる情報とそうでないものを見分ける力がないうちに、不適切な情報に触れてしまうこと。**情報を見分ける力を育ててもらうためには、信頼できるウェブサイトや本などを子どもと共有してみることがオススメです。

「うちの子にはまだ早い」と、**自然に学ぶのを待っているのでは間に合わない**時代になっていると感じます。

+α 聞かれそうなこと

AVって何？

性的なシーンを見たい人に向けて作られた動画のことだよ。実際にマネするといけないことも多いから、良いことと悪いことの判断がつく年齢になるまでは見ちゃいけないことになっているんだ。

ひとことアドバイス

子どもの検索履歴などを発見してしまったときに「うちの子がこんなものに興味を持っているなんて……」とショックを受ける方も多いと聞きます。子どもはいつまでも子どもらしくいてほしいという気持ちも理解できますが、その願いが強すぎて、子どもたちに必要な情報を届けられないという事態は避けたいものです。子どもたちを守るために私たちができることは、必要なスキルを伝えていくことだと思います。

17

場面

下ネタ満載の動画で子どもが爆笑。

対応アイデア

こういう話を聞いて
どう思う?
私はあんまりおもしろいと
思えないことがあるんだ。

よーし、お父さんが
昔からタヌキ界に
伝わる
おもしろ〜いギャグを
やってやろう。
タンタンタヌキの
キンタマは〜♪
風もないのに
ブ〜ラブラ♪
あり〜レ!!
…それって
どのへんが
おもしろいの？

動画投稿サイトを見ていると、**年齢制限がかけられていないものでも性的なワードや話をネタとして扱っている**ものがたくさん配信されています。なかには性差別や性暴力に関するような内容のものもあり、子どもたちにどう伝えるかは、とても難しい問題だなと感じます。

もし大人が見て不適切だと感じるようなコンテンツを子どもたちが楽しんでいるのに気づいたら、まずは本人が**その動画を見てどう感じているか**を尋ねてみるのはいかがでしょうか？

その上で、**自分はどうして不適切だと思ったのか**を伝えられると良いのではないかと思います。

＋α 聞かれそうなこと

風俗って何？

お店でお金を払って、性的なスキンシップをしてもらう場所のことだよ。そういう場所に行きたい人もいるし、行きたくない人もいるんだ。

ひとことアドバイス

「こういう動画をあんまり楽しんでほしくないな」というコンテンツに出会ったとき、それを見せないようにするだけでは子どもも納得できない場合があります。だからこそ、なぜ不適切だと思い、見てほしくないのかをしっかり伝える必要があると思います。それをきっかけに、性についてのさまざまな話題について話し合う時間もできるかも。

18

（ラブホテルを見て）
あそこに行ってみたい!!

対応アイデア

お城みたいにキラキラしていて
楽しそうだもんね。
あそこは大人になって
パートナーと一緒に行く場所
だから、今は行けないよ。

HOTEL LOVE LOVE
きいてきいて!!
駅前のお城に
男の人と女の人が
入っていくの見たよ!
あれは絶対
王子様とお姫様だよ…!!
えっ
ほんと?!
どんな人
だった?

うーん、
タキシードとか
ドレスとかは
着てなくて、
周りを気にして
コソコソ入って
行ったよ。
OH…
やっぱり
普段は
身分を隠して
いらっしゃったのか…
大変だなー…

ラブホテルの外観はキラキラしていたりお城みたいだったりするので、子どもたちの興味も引きやすいようです。実際に**「行きたい！」**と言われると戸惑ってしまいますが、ここでも事実をそのまま伝えて良いのではないでしょうか。

大人になってパートナーと一緒に行く場所であること、子どもは入れない場所であること、プライベートな空間で性的なスキンシップをとりたくて行く人もいること、ただ泊まりに行く人もいること……など、**子どもの知りたいことに合わせて話してOK。**

隠したりウソをついたりするよりも、**淡々と事実を伝えたほうが子どもも納得できる**かと思います。

＋α 聞かれそうなこと

お母さんは行ったことある？

それは個人的なお話なので内緒です。

ひとことアドバイス

こういうドキッとする質問をされたとき、どんなふうに答えたらいいか、どんな反応をしたらいいかを咄嗟に判断するのってとても難しいと思います。だからこそ、いろんなシチュエーションを想定してイメージトレーニングをしたり、子育て仲間とともに「困った場面あるある」を共有しておくと、落ち着いて対処できるかもしれません。

19

（コンドームを指さして）
これ何？

対応アイデア

コンドームだよ。
セックスをするときに、
病気を予防したり、妊娠を
防いだりするために使うもの。

ママー、これなあに?
えーっと、まあ水ふうせん的なモノよ…
ピタッ
skin
0.03
0.01
うすうす
水ふうせんほしい〜!!
買って買って〜!!
ギャ〜
ほ…ほかのお店で買ってあげるから…!!

コンドームはコンビニや薬局にも置いてあるものなので、子どもが発見して尋ねてくるというケースが多いと聞きます。

コンドームをアダルトグッズだと思われている方は結構多いですが、実は**絆創膏や綿棒などと変わらない衛生用品**。購入するための年齢制限もありません。私たちの健康や安全を守るための大切なグッズなので、**その存在を無理に隠そうとする必要はない**と思います。

幼い頃に抱いたタブー感が原因で、将来必要になった場面でも恥ずかしくて買えない……という話を聞くこともあるので、**大切なものであることを、普通に話せると**◎。

+α 聞かれそうなこと

（生理用品に）これ何？

生理がくると膣から血が出るから、生理用品を使って下着につかないようにするんだよ。

ひとことアドバイス

コンドームや生理用品などを「なんとなくコソコソ買わなきゃいけないもの」と認識している人ほど、子どもたちにはあまり早くからその存在を知らせたくないと感じるようです。でも、その存在や用途をどこかで知ることができなければ、いつか必要になるタイミングがきたときに適切に使うこともできません。だからこそ、初めから「大事なもの」として扱っておくことが大切ではないでしょうか。

20

場面

（アニメのマネをして）「○○ちゃ〜ん！」とお友だちを追いかけ回していて……。

対応アイデア

アニメや漫画をそのままマネすると、相手に怖い思いをさせちゃうかもしれないよ。

「ただのネタ」だと自分では思っても、相手にはそう伝わらないこともあるからね。

トントントン
チュ〜〜
ユカちゃ〜ん♡
今帰ったよぉ〜ん!!
トシユキさん、
先にお風呂に
入ってきなさい。
クルッ
おかあさん、
やっぱりうしろ姿が
私とウリふたつ!!
親子だわー。
ばあばが
手伝いに来てくれ
たんだよ。

スカートをめくる、好きな子を追いかけ回す、ペニスや胸の大きさを比べてからかう、などのような表現は、多くの漫画やアニメで**「ネタ」**として使われてきました。それがおもしろいことなんだと思った子どもたちがマネをして、ほかの人を無意識のうちに傷つけてしまうという場面も少なくありません。

する側の人にとっては「ただのネタ」であったとしても、**された側の人にとっては一生忘れられない嫌な思い出になることもあります。**大人であれば紛れもなくセクハラに当たる行為は、子どもだから許されるというものでもありません。そのことを、**なるべく早くから伝え続けていくこと**が大切だと感じています。

+α 聞かれそうなこと

ふざけてやっただけだもん。

自分がおもしろいからって、人を傷つけちゃだめなんだよ。

ひとことアドバイス

「子どもの観ているアニメや動画に対して、どこまでツッコミを入れていいものかわからない」という声もよく耳にします。たしかに、あまり口うるさく思われるのも心配ですよね。そうしたときは一度しっかり話をする時間をとって、何を心配していて、どんなことを知っていてほしいと思っているのかを伝えてみてはいかがでしょう。だんだんとお子さん自身で判断ができるようになっていくのではないかと思います。

21

妹がほしい！ 赤ちゃんつくって！

対応アイデア

赤ちゃんを持つかどうかは、お母さんとお父さんが話し合って決めるんだ。

でも、あなたにそういう思いがあることはよくわかったよ。

このように発注
したいのですが…。
いもうと　かんせいず
とってもげんき
かみのけさらさら
わたしのいうことをきく
め、ぱっちり
わたしのつぎにかわいい

　私たちはみんな性と生殖に関して健康でいて、性と生殖に関することを自分で決める権利を持っています。**これを「SRHR-Sexual Reproductive Health and Rights-」といいます。**「妊娠・出産をするかどうか自分で決める権利」というのも、そのなかに含まれる大切な権利のひとつです。

　子どもにこうしたお願いをされたときにも、その思いは受け止めた上で、**「それを決める権利は妊娠・出産をする本人にしかない」**ということを伝えるのはとても大切なこと。そうした対話をきっかけに、**子どもたち自身も自分の持つ権利について**学ぶことができるのではないかと思うからです。

+α 聞かれそうなこと

弟じゃなくて妹が良かったのに。

どんな性別で生まれてくるかは誰にも決められないんだよ。どんな性で生まれた子も大切な家族だよ。

ひとことアドバイス

「権利」という言葉を使うことで、なんだか堅苦しい話だと感じる方も多いかもしれません。それでもこのSRHRは、一人ひとりの人生に密に関わるとても大切な概念です。子どもたちを、そして大人自身をも守るこの大切な権利についての意識が、当たり前のものとして広がっていくことを強く願っています。

性の"あるある"質問対応アイデア30

22

結婚をしたら赤ちゃんができるの？

対応アイデア

赤ちゃんができることと、結婚することは関係ないよ。

赤ちゃんは卵子と精子が合わさってできるんだよ。

「赤ちゃんは結婚をした男女の夫婦のもとにやってくる」というふうに認識する子どもに、何度か出会ったことがあります。そう思っている子どもたちにとっては、赤ちゃんを授かってから結婚をする夫婦や、同性カップルで子育てをしている家族はとても不思議な存在に映るようです。

世の中にはさまざまな家族のカタチがあることを幼い頃から知っておくことはとても大切で、そのためにも、妊娠や出産のしくみについてウソ偽りなく伝えていくことが必要だなと感じます。

項目6の返答を参考に、話してみてくださいね。

+α 聞かれそうなこと

できちゃった結婚って何？

赤ちゃんができたことをきっかけに結婚することをそうやって呼ぶことがあるんだよ。授かり婚という言い方もあるよ。

ひとことアドバイス

日本ではまだまだ「結婚をする→妊娠出産をする」というのが正しい順序という価値観が根づいているように感じます。しかし実際の社会に目を向ければ、あらゆるカタチを選択して築かれた家族のカタチがあって、そもそも家族のあり方に「普通」なんてありません。誰かの生き方を「普通」とか「おかしい」とか判断する権利なんて、誰にもないですよね。

23

〇〇ちゃんち、お父さん（お母さん）いないんだって。なんで？

対応アイデア

家族のカタチはいろいろだからね。

それぞれの家族にとって一番いいカタチを、みんな探してるんじゃないかな。

パパがふたりいる
ファミリー

ママと子どもの
ファミリー

おじいちゃんとおばあちゃんと
ぼく ファミリー

血のつながりは
ないけどファミリー

たくさんメンバーがいる
ファミリー

ママがふたりいるファミリー

親ひとり子ども1200匹の
ファミリー

家族って、いろんなカタチがあるよ。

母親と父親がいて、そこに何人かの子どもがいる。いろんなアニメやドラマなどを見て、それが「普通の家族」だという価値観を抱くことがあります。**でも、当たり前ですが、実際の社会にはいろいろな家族のカタチがあります**よね。

親がひとりの家族、同性カップルで子育てをする家族、おじいちゃんおばあちゃんと暮らす家族、ステップファミリーや血のつながっていない家族。そうした自分の家庭とは少し違ったところのある家族に対して、「それはおかしい、普通じゃない」とレッテルを貼るのではなく、**「いろいろあるうちのひとつ」**であると考えてもらえるといいなと思っています。

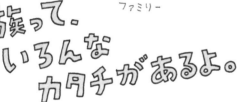

+α 聞かれそうなこと

なんでうちにはお父さん（お母さん）がいないの？

あなたにもお父さん（お母さん）はいるんだよ。みんなが自分らしく、幸せに暮らすためには今のカタチがいいと思って、こういう選択をしたんだ。

ひとことアドバイス

何かひとつを「普通」だと判断する人が多いほど、そうでない何かは「おかしい、普通じゃない」と判断されるようになる。でも初めから「いろいろあるのが普通」だと知っていたら、誰かをジャッジする必要もなくなります。今、普通だとされているさまざまなものを問い直すことが、子どもたちが安心して暮らせる世の中にしていく第一歩なのかもしれません。

24

（同性カップルに対して）
男同士（女同士）なのにへんなの！

対応アイデア

男性同士で好きになるのも、
女性同士で好きになるのも、
何もへんじゃないよ。

世界には同じ性別で結婚ができる
国だってたくさんあるんだ。

ねえパパ、
男同士って
好きになっちゃ
ダメなの?
そんなコト
ないよ!
パパのお友だちにも、
そういうカップル
いるよ。

ヤッター!
じゃあ
ぼく、
パパと
ケッコンする!
うれしいけど
パパには妻という
存在があるからな…
ムズカシイ問題だナ…

日本では性のあり方の多様性について、あまり教わる機会がありません。でも**私たちの暮らす社会には、いろいろなセクシュアリティをもっている人**がいます。

同性を好きになる人、性別関係なく好きになる人、恋愛感情をもっていない人もいる。そうした性のあり方はどっちが普通とかどっちはおかしいというものではなく、ただいろんな人がいるというだけです。**どんなセクシュアリティをもつ人も、平等にその気持ちを大切にされる権利があります。**

無意識に誰かを傷つけてしまう前に、そうした事実を知らせていけるといいなと感じています。

+α 聞かれそうなこと

あいつらホモかよ〜。

その言葉は人をバカにするために使われることの多い言葉だから、使わないようにしようね。人のセクシュアリティをからかうことは、絶対にしてはいけないことだよ。

ひとことアドバイス

誰かの選択肢を狭めたくないという思いから、普段あまりハッキリ言い切る表現をしない私ですが、差別につながることにだけはハッキリと「NO」と表現するようにしています。性のあり方についての差別も決して許されることではありません。これは、子どもたちが幼い頃からきちんと言葉にして伝えていきたいと思っていることのひとつです。

25

私、大きくなっても結婚ってしたくない。

対応アイデア

結婚するかどうかは、あなたが自分で決めていいんだよ。

あなたの人生はあなたのものだからね。

うちのパパったら
またソファーでゴロゴロして…。
少しは
子どもたちを
公園に連れて
いってほしい
わァ…!!
まったく… ケッコンて
なんなのかしらね!?
ワナワナワナワナ
な…
なんと
おそろしい
ママゴト
よ…!!

家族や友人から**「いつか結婚して、子どもを持つんだ」**という前提でお話をされることで、モヤモヤとした気持ちを抱く経験をしたことのある方、結構多いのではないでしょうか？

結婚や妊娠、出産といったライフイベントはもちろんのこと、**その人の人生に関わるさまざまな選択をする権利はその本人にしかありません。**だからこそ、子どもが幼いうちでも、**「あなたの人生はあなたのもの！」**というメッセージを伝えていくことはとても大切だと感じます。

周りの大人たちが自分の人生を自分で選びとっていく姿勢を見せることも、大事なメッセージになるかもしれませんね。

+α 聞かれそうなこと

結婚ってなんでするの？

人によるだろうけど、この人と一緒にいたほうがもっと人生が楽しくなりそうだな、という相手が見つかったらするんじゃないかな。

ひとことアドバイス

私自身、幼い頃は「自分はいつか結婚をして子どもを産む」と信じて疑いませんでした。なぜだったのだろうと思うと、自分の親しか大人のロールモデルを知らなかったから。そして自分の親も「いつか結婚をする前提」で話をしてくるから、だったと思います。幼いうちからいろんな生き方のロールモデルを伝えたり、大人が選択肢を制限しないで話すことって大事ですね。

26

青は男の子の色でしょ？

対応アイデア

色に性別はないよ。

あなたが好きで、選びたいなと思う色を選べばいいからね。

ちゅどーん
ピンクがまんなかでもカッコイイではないか!!
R
HERO RED
R
G
HERO GREEN
G
P
HERO PINK
P
B
HERO BLUE
B
Y
HERO YELLOW
Y

生まれたときに決められた性別によって、人の役割や生き方を判断するような考え方を**「ジェンダー」**といいます。

Ｐ20でも触れましたが、子どもたちも幼い頃からこのジェンダーの考え方にさまざまな場面で触れてくるので、家庭の中でもジェンダーに捉われた発言を聞かれることがあるでしょう。

子どもたち自身がジェンダーに捉われず、自分の好きなものを安心して好きでいられることは、ほかの誰かを尊重する力を育むことにもつながると思います。

まずは身近な大人がその子の「好き」を大切にすることから、始めていけるといいですよね。

+α 聞かれそうなこと

男の子なのにピンクのランドセルなんてへん！

自分の好きな色を選んだだけじゃないかな。似合ってると思うよ。

ひとことアドバイス

大人自身も性別によるいろんな押しつけを経験しているので、自分が言われたことを子どもにそのまま伝えている場面も多いと思います。それが「当たり前」とされてきたので、仕方のない部分もある。でもそこで少し立ち止まって、「ここで性別は関係あるか？」と考えてみると、子どもたちの生きやすさにつながるんじゃないかなと思うことがたくさんあります。

27

場面

（泣いている息子に対して）「男のくせに泣くな！　女々しいぞ」と言われた。

対応アイデア

（言ってきた大人に対して）

悲しかったら泣く。そこに性別は関係ないですよ。

もし女性っぽく見えたとしても、何が悪いんですか？

なんじゃ!!
男のくせに
メソメソ
メソメソと!!
男らしくない…!
だってェ〜
うぉぉ〜!
ガクッ
おじいちゃんの
盆栽に
ボールが
ぶつかっちゃったんだ。
高かったの
にィ〜!!

人の振る舞いに対して**「男性的」「女性的」**と判断されることも多いですね。自信を持ってハキハキ話すと「男らしい」、すぐに泣くのは「女っぽい」、バリキャリは「男勝り」、優柔不断だと「女々しい」。男性的とされる言葉は褒め言葉で、女性的とされる言葉には悪口が多いようにも思います。

しかし当たり前ですが、**人の性格は生まれたときに決められた性別によって左右されるものではありません。**私たちはみんな「男」と「女」で簡単に二分できない、**もっと複雑な気持ちや性格をもっています。**そのことを意識して、丁寧に言葉を選んでいきたいものです。

+α 聞かれそうなこと

男社会で苦労しないように言ってやってるんだ。

悲しくて泣いたらバカにされるような社会のほうを、変えていこうよ。

ひとことアドバイス

「男らしさ／女らしさのプレッシャー」的なものは令和の時代にも根深く残っていますが、あらためて考えると、今もなおそれにしがみつく必要ってあるのだろうかと疑問に思ったりします。これだけ暮らし方も働き方も多様な時代に、「これが絶対的な魅力！」なんて言い切れるものって本当にあるのでしょうか？　自分が好きな自分なら十分、と最近は思っています。

28

○○くんのパパ、男なのにメイクしてたよ！　なんで？

対応アイデア

お化粧が好きなんじゃない？

したい人はしたらいい。
したくない人はしなくていい。
それだけだよ。

メイクするのが女性、しないのが男性。毛の処理をするのが女性、しないのが男性。スカートを穿くのが女性、穿かないのが男性。そんなふうに性別によってすることしないことが制限される場面もたくさんあります。でも**私たちの身体は私たちのもの。**したいこともしたくないことも、**決めるのは自分**です。

子どもたちがしたいことを制限されなくて済む社会にしていくためにも、まずは大人から**自分の「したい/したくない」を大切にしていけるといい**な、と思います。そして誰かの「したい/したくない」も尊重する。そうした一人ひとりの姿勢が、子どもたちの生きやすさにつながるはずです。

+α 聞かれそうなこと

お母さんはなんでお化粧しないの？

自分の〝したくない気持ち〟を大事にしているからだよ。

ひとことアドバイス

家事は妻（母親）の仕事というイメージも根深いですが、私自身は家事が全然好きではないので、仕事を頑張って便利家電を導入しまくることにしています。「女なんだから……」と好きでもないことを嫌々やっている姿よりも、好きなことを笑顔で頑張る姿を子どもたちに見てもらいたいなぁと思うからです。

29

女の子に生まれたかった。
女の子になりたい。

対応アイデア

そう思っているんだね。わかったよ。
何もおかしなことじゃないし、
困ったことがあったら
助けになるからね。

キミは
男の子？
女の子？
オトコトカ
オンナトカ
ナイデスネ。
ワタシハ
ワタシデス。
ロボットは
いいなァ〜。
なんで人間は
男とか女とか
決めつけたがる
んだろ。
ハァ〜
ニンゲンハ
タイヘンデスネ…
親子の
カンケーは
人間と
変わらないんだな…。
ワァァ…
モウチョットダケ〜!!
マタコンナトコロデ
アソンデ…!!
ズルズルズル

生まれたときに割り当てられた性別と自分の認識する性別が一致しない性のあり方を、「トランスジェンダー」といいます。**そうした性をもつことは何もおかしなことではありません。**

社会の中で暮らすうちにさまざまな困りごとが生じることがあるので、そうしたときは**周囲の大人が困りごとを解消するためのサポートをしていくことが大切**です。与えられた制服を着たくない、どのトイレを使ったらいいかわからない、思春期に起こる身体の変化が苦しいなど、**本人の思いを丁寧に聞き、必要なサポートを考えていきましょう。**親だけで対処が難しいときには専門機関に相談することもできます。

+α 聞かれそうなこと

あの子オネェなのかな？

人の性を決めつけたりからかったりするのはやめようね。

ひとことアドバイス

ＬＧＢＴＱ＋の当事者が身近にいないと感じている人にとっては、マイノリティといわれる性のあり方をもつ人は珍しく、どこか特別な存在に感じられるかもしれません。しかし当然ですが、どんな性を生きる人も自分自身と何も変わらない日常を生きる人です。性を理由に普通の日常が奪われることのないように、大人はサポートをする必要があるのです。

30

私ってデブだからブスなんだって。

対応アイデア

あなたはそのままで素敵だし、いっぱい魅力があるよ。

外見で人の価値を評価するほうが間違っているんだからね。

まったく、
生きてる頃は
ルッキズムに
骨が折れたぜ…。
ワン!!
ごらんのとおり
中身はみんな
同じなのに
なァ…

デブ、ハゲ、ブス、チビなどなど、人の容姿をからかう言葉はたくさんあります。外見で人の価値をはかり、容姿の整っている人とそうでない人とを差別するような考え方を**「ルッキズム」**といい、日本は特にこの文化が根付いた国です。

　自分の外見をからかわれたり、外見を理由に無下に扱われたりする経験は、その人に**一生モノのコンプレックスを抱かせる**ことがあります。だからこそ、子どもたちにそういった経験をさせないように、もしも経験してしまったときには、**「あなたが悪いのではない」**ときちんと伝えるようにしていくことがとても大切です。

+α 聞かれそうなこと

あの子は自分でブスって自虐してるし、嫌がってないよ

嫌がってないように見えても本当の気持ちはほかの人にはわからない。もし本当に嫌がっていなかったとしても、人の外見にとやかく言うモンじゃないよ。

ひとことアドバイス

久しぶりに会った親戚の子どもに「あれちょっと太った？　思春期だもんね〜」などと外見について感想を伝えるのは、よく見かける光景です。こうした身近な大人からの評価をきっかけに、自分の外見に大きなコンプレックスを抱えるようになったというのもよく聞く話。目の前の子どもの一生に影を落とすかもしれないそのひとこと、本当に必要ですか？

おわりに

『やらねばならぬと思いつつ』を、最後までご覧いただきありがとうございます。

性について話すことに高いハードルを感じている大人のみなさんに寄り添い、少しでもそのハードルを下げるお手伝いができたら……と書き進めてきたこの書籍。**読み終えた今、みなさんの心境に変化はありましたか？** 性についてほんの少しでも、気軽に捉えられるようになったなと感じてくださったなら、この本を作って本当によかったなと思います。

「性教育」という言葉から、「授業のように正しい知識を明確に伝え、子どもたちがそれを聞く」というシチュエーションを想像されることが多いように感じます。でも私自身は、性教育とは**「一人ひとりの大人の振る舞いや姿勢からにじみ出るメッセージを、子どもたちが自然に受け取るもの」**なのではないかと感じています。

性について質問をされたとき「はぐらかしたり、ウソをついたりしない」とか、「性別によって人の選択肢を決めつけたりしない」とか。そうした振る舞いから**「性について考**

え、**学ぶことは普通のことなんだな**」というメッセージを伝えることができたら、それはもう十分に性教育に取り組んでいるといえると思うのです。

大人のみなさんからよく、「おうちで性教育をするときに何から始めたらいいですか?」という質問をいただくことがあります。私が思う、身近な大人が行う性教育でもっとも大切なことは、**何かあったときに子どもたちが相談してもいいと思える関係性をつくること**です。

医学的な専門知識をスラスラ答えられなくたって、それを代わりに説明してくれる動画や書籍はたくさんあるし、医療機関に行けば専門家がきちんと教えてくれる。そんなことよりも大切なのは、性に関する困りごとやトラブルが起きたときに**「この人になら相談できる。きっと助けてくれる」**と思える大人がいること。あなたの身近にそんな大人がいるよと、子どもに伝えておけることなのではないでしょうか。

私の動画を見てくれている視聴者のみなさんからは「アフターピルが必要なタイミングになったとしても、うちの親には絶対言えない。だから生理が来るのを祈るしかない」といったコメントがよく届きます。もしかするとそのご家庭には、性の話はとにかくタブーという雰囲気がただよっているのかな、と感じます。

性に関するトラブルは、知っていたら防げることや早くに対応すれば解決できることが

たくさんあります。だからこそ何かあったときに、子どもたちがためらわずにすぐに相談しようと思える大人であることが何より重要です。

何から始めたらいいかまったくわからなかったら、ぜひ子どもと一緒に私のYouTubeチャンネルを覗いてみてください。一緒に学ぼうという姿勢を見せるだけでも、十分「**あなたを大切に思っている**」というメッセージになると思います。

子どもたちに伝えるために、まずは私たち大人が、性のことをきちんと学んでみましょう。

きっと、自分自身が励まされたり、こんな歳になっても全然知らなかったと驚いたりすることもたくさんあると思います。何も恥ずかしいことではありません。一緒に知って、考えていきましょう。

そして、**子どもたちが安心して頼れる大人でありましょう**。

大人がみんなで助け合って、子どもたちが安心して暮らせる社会を作っていきましょう。

性教育は、自分らしい生き方を考えるための教育です。

2021年10月吉日

シオリーヌ（大貫詩織）

“わかっちゃいるけど
できそうにない”
大人のための！

オススメ動画

ここまで本書を読んでくださった皆さま、ありがとうございます。

「とはいえやっぱりできるかな……？」と不安になる方もいらっしゃるかもしれません。

そんな時は、シオリーヌチャンネルの動画を覗いて見てください。

子どもたちと一緒にご覧いただくのもオススメ！

【保護者向け】性教育って何歳から始めたらいいの？？？

https://youtu.be/cciFE_iec-Q

セクシュアリティって何だろう？ 性の多様性を考える

https://youtu.be/BLRs8tEdv0Q

【解説】生理のしくみを学ぼう！

https://youtu.be/fNu-lC-MQYc

【超基礎】助産師が妊娠のしくみを解説しました

https://youtu.be/oI2WKpdu4ns

あの質問への答え方、伝授します！【おうちで性教育】

https://youtu.be/iYZWprugPJg

【授業】小学校高学年向けの性のお話【お子さんと一緒に】

https://youtu.be/MiA0K-Z1fLw

シオリーヌ（大貫詩織）

助産師／思春期保健相談士／性教育YouTuber。総合病院産婦人科で助産師としての経験を積んだのち、精神科児童思春期病棟で若者の心理的ケアを学ぶ。2017年より性教育に関する発信活動をスタートし、2019年2月より自身のYouTubeチャンネルで動画を投稿。チャンネル登録者数は16万人以上（2021年10月現在）。著書に『CHOICE 自分で選びとるための「性」の知識』（イースト・プレス）、『こどもジェンダー』（ワニブックス）、『もやもやラボ ～キミのお悩み攻略BOOK!～』（小学館）がある。

YouTube ● 【性教育YouTuber】シオリーヌ
Twitter ● @shiori_mw

ゆまままま

広告やキャラクターを作るアートディレクター。保育園の連絡帳に5歳児「ゆま」の味わい深い日々を記録し、Instagramに投稿して人気を集める。リアルな幼児の生態を描いたユーモアあふれるイラストと、冷静でエッジの効いたコメントが特徴。Instagramのフォロワー数は約8.7万人（2021年10月現在）。著作に『せんせい、うちのコがタイヘンです。』（ジー・ビー）がある。

Instagram ● @ansn

やらねばならぬと思いつつ
〈超初級〉性教育サポートBOOK

2021年11月6日　第1刷発行

著者
シオリーヌ
（大貫詩織）

イラスト
ゆままま

デザイン
岩元 萌
（オクターヴ）

校閲
ぴいた

編集協力
本間香奈

発行者
千吉良美樹

発行所
ハガツサブックス
〒158-0094
東京都世田谷区玉川2-21-1-8F CATALYST BA
［電話］03-6313-7795
https://hagazussabooks.com

印刷・製本
モリモト印刷

ISBN978-4-910034-08-9　C0037